D1153456

EM0605038

De stille zee

De stille zee

Jeroen Van Haele

Met illustraties van **Sabien Clement**

lannoo

Hoger dan de hoge rots zal ik klimmen
om woorden te horen – gesproken door de wind
gezongen door de zee

Más alto que la roca superior escalaré
para encontrar las palabras expresadas por el viento y
cantadas por el mar

Emilio

$\mathcal{N}$aar het schijnt, ben ik geboren. Natúúrlijk ben ik geboren, maar geef toe: is het niet gek dat ik me daar niets van herinner? Wel honderden keren heb ik gevraagd hoe het was toen ik uit mijn moeders buik kwam. Maar mamá – zo noem ik moeder in mijn hoofd – antwoordde hooguit dat het 's ochtends was gebeurd. En de ouwe lachte gemeen: 'Niet te geloven dat die kleine 's morgens vroeg op de wereld is gezet, hij rolt nooit voor tien uur zijn bed uit. Maar ja, hij hoort de wekker niet!' Die ouwe vertelde altijd onzin.

Mamá schreeuwde hem weleens toe dat zijn verstand met het wiegen van het schip door elkaar was geschud.

Ik ben dus geboren. 's Morgens vroeg. En meer valt daar niet over te vertellen. Er zijn geen toestanden over gemaakt. Tien jaar later werd mijn zusje geboren, het was een donderdagavond en buurman Javier Vasquez liet merken dat er iets aan de hand was.

Iets héél bijzonders. Hij knipoogde naar me omdat ik vreemd opkeek toen iedereen naar boven ging, naar de slaapkamer van mamá. Hij bleef beneden, samen met mij. Ik hoorde toch al niets, maar toen was het nog stiller in mijn oren dan anders. De ouwe kwam tegen een uur of tien naar beneden om voor zichzelf een Moscatel in te schenken. Ik had hem nog nooit zo gezien, hij verborg zijn gezicht. Het leek alsof hij had gehuild maar dat zal wel niet, want ik denk dat hij niet kon huilen. De ouwe was een klier. Toen Javier ook een Moscatel voor zichzelf inschonk, vroeg ik wat er was. Of 'het' er was. Javier knikte en zei dat ik nu een gedicht mocht schrijven voor m'n zusje.

'Het' was dus een zusje en 'het' had een naam: *Laura.* Ik noemde haar Lolo, mamá zei dat dat goed was omdat ik Lolo kon uitspreken. Iedereen snotterde, zelfs Javier en Pujol, de neef van mamá. Ze huilden en waren blij tegelijk. Ik vroeg me af of ze ook bij mijn geboorte een traan hadden gelaten. Ik durfde te wedden van niet. 'Onze eerste is doof, de dokters hebben het gezegd en het zit nochtans niet in de familie.' Dát zullen ze gezegd hebben, ik zag het zo voor me. En daarna namen ze mij onder de arm en verdwenen uit het ziekenhuis. Baby Emilio is vertrokken in stilte.

Ik heb Lolo voor het eerst gezien toen ze een uur oud was. Ze was rimpelig en het leek wel of ze vel te veel had. Mamá vroeg of ik haar wilde strelen, maar dat wilde ik niet, er waren al zoveel plooien en ze deed iets raars met haar mond. Eerst ging dat bekje open, dan kwamen er nog meer plooien en leek het of ze elk moment kon ontploffen. Zo rood en blauw zag ze. Mamá zei dat baby's er altijd zo uitzien als ze huilen.
Ik had wel vaker mensen zien huilen, maar nooit zoals Lolo. Zelf had ik toen nog nooit gehuild.
De dag na de geboorte van Lolo was iedereen in de weer, er kwamen bloemen van de Maragalls – de buren – en van Javier en de Mondejas. En zij maar lachen en mamá maar huilen.

Van geluk, dat zag ik. Lolo kraaide tot ze er bijna van barstte. Ze deed maar, ik hoorde het toch niet. Alleen de ouwe kreeg het op zijn heupen, wat ik leuk vond. Altijd ontving mamá de bezoekers met drank en koekjes en nu moest de ouwe dat allemaal weten te vinden. Hij was nog roder dan Lolo. Aan die verloren blik in zijn ogen was te zien dat hij dit nog nooit had meegemaakt.

Duidelijker kon het niet zijn: bij mijn geboorte waren er geen gasten geweest, geen bloemen, geen rode kop van pa. Dit was voor hem de eerste keer. Na een week, toen het allemaal wat rustiger werd, ging ik naar mamá en Lolo toe. Ik vroeg of Lolo zou kunnen horen en spreken en mamá knikte. Toen wist ik waarom ze hadden gehuild.

Ik was, dat dacht ik toen nog, te vroeg geboren. Te vroeg in de morgen. Ik vertelde het met gebarentaal aan Javier. 'Je kunt beter 's avonds worden geboren, dan hoor je én kun je praten. 's Morgens word je doof geboren en kun je niet spreken, 's middags kun je alleen horen en als je 's avonds geboren wordt, kun je alles. Moeders moesten hun kinderen maar 's avonds uit hun buik laten komen, zo rond een uur of negen. Dan heb je een baby die kan spreken en horen. En dan huilen de mensen omdat ze blij zijn. Als je geboren wordt en ze huilen, zit je goed.' Javier Vasquez glimlachte en legde zijn hand op mijn hoofd.

Op een zondagmorgen, net voor de mis, kwam Javier langs. Hij is altijd een goede vriend geweest sinds de ouwe niet meer naar huis kwam. Mijn vader is kort na de geboorte van Lolo verdwenen. Geen mens wist waar hij was sinds hij de laatste keer met de boot de zee op was gegaan. Eerst hadden ze in het dorp geroddeld dat hij dood was, dat zijn schip wel gezonken zou zijn. Mamá had het niet willen geloven, 'ze voelde zoiets', zei ze altijd.

Ze wist dat hij niet dood was. En toen Javier die zondagochtend binnenkwam, kreeg ze gelijk. Javier had vader gezien in L'escala, hij was stomdronken en riep de hele tijd dat hij de rijkste man van Catalunya was. Javier wist zeker dat hij hem niet had herkend.

Mamá zei niets toen ze het hoorde. Ze werd bleek en holde naar de slaapkamer, ging een tas halen en stopte die vol met kleren. Ze zou die ouwe eens gaan halen. Nooit heb ik mamá zo kwaad gezien als toen. Javier pakte haar bij de schouders en schudde mamá door elkaar. Daarna maakten ze ruzie en ik wist waar die ruzie over ging. Javier had vaak genoeg laten merken dat de ouwe geen vader was voor Lolo en mij. Ik had het tientallen keren in zijn ogen gelezen, zijn medelijden als die ouwe mij weer eens uitlachte omdat ik doof was. Javier vond dat we beter verdienden. De ruzie tussen hem en mamá duurde nog even, tot mamá huilend ging zitten. Ik ben naar haar toe gegaan. Javier zette koffie.

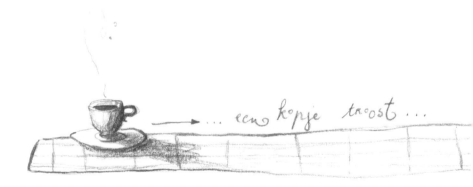

... een kopje troost ...

Van dan af kwam Javier Vasquez elke dag op bezoek. Af en toe sloot hij zijn kruidenierswinkel en liep hij langs om te zien of hij iets kon doen: houtblokken uit de kelder halen, wat boodschappen brengen. Even had ik gehoopt dat mamá verliefd op hem zou worden. Maar hoezeer mamá het gezelschap van Javier ook op prijs stelde, zolang ze wist dat de ouwe nog leefde, zou ze er niet aan denken om iets te beginnen met een andere man. Javier was een kerel, hij liet me lachen. Hij was ook een van de weinige mensen die het niet erg vond dat ik niets kon zeggen.

We konden samen stil naar iets zitten kijken. Dan stond hij op en legde zijn arm om mijn schouder terwijl zijn andere hand in een van de glazen bollen ging die op de toonbank van zijn kruidenierswinkel stonden.

Mamá vond dat ik te veel snoep van hem kreeg, maar Javier zei altijd dat we te veel zoets gemist hadden. Mamá moest daarom lachen. De kruidenierswinkel van Javier rook heerlijk naar thee, waspoeder en fruit en er lagen ook pakjes waarmee je pudding kon maken.

Toen ik een keer ziek was en mamá niet op mij kon passen, mocht ik naar Javier toe. Het was een vroege vrijdagochtend in de winter en het was koud, maar in de keuken van Javier brandde altijd het vuur. Op vrijdag maakte hij pudding: crema Catalana! Eerst ging er verse melk, room, een kaneelstok en een citroenschil in de pan. Wanneer het goedje kookte, haalde Javier de kaneelstok en de citroenschil er vliegensvlug uit en goot hij de melk bij een papje van eierdooiers en suiker in een andere pan. Nog geen minuut later werd de melk geel en dik. Javier kon toveren: als ik smeuïge, lopende crema wilde, was hij ook smeuïg en vloeibaar.

Had ik liever een stevige, dikke pap, dan maakte hij er een stevige, dikke pap van. Naast de pot stond een glazen kom waarin Javier koekjes en rozijnen had gegooid. Hij goot de pudding in de kom, maar liet ook nog wat in de pan. Dan zei hij: 'Emilio, de pan vraagt of je hem wil schoonmaken.'

Mamá was Lolo aan het wassen. Mamá was mooi als ze Lolo haar badje gaf. Alsof ze dan het gelukkigst was. Als ik haar dan iets vroeg, antwoordde ze hooguit met 'ja' of 'nee' of 'doe maar'. Javier zag het ook, dan knipoogde hij naar me en zei: 'Kom, we gaan naar de zee.' De zee was prachtig. Ik had me laten vertellen dat ze ook lawaai maakte. 'Ruisen', had Javier eens gezegd en hij deed zijn lippen naar voren toen hij het zei, alsof hij ging kussen. Ik wist niet wat hij met 'ruisen' bedoelde, maar volgens Javier gebeurde het als duizend waterdruppels dansten met de wind. Op een keer was de zee zo wild, dat ze ons bijna helemaal nat maakte.

Ik vroeg Javier of dat ook ruisen was, maar hij zei dat de zee klotste. Dat vond ik grappig en daarna hebben we ook geklotst. Ik duwde hem weg en daarna hij mij, net zoals de zee doet met de golven.

Ik hield ervan om met Javier te klotsen. Maar alleen was het ook leuk, dat heb ik ontdekt toen ik aan de rand van het water liep. Heen en weer, zo gingen de golven altijd. Ik liep dan mee. Heen en terug. En als ik niet op tijd weg was, werd ik nat. Dat was niet erg, het was zelfs fijn om kleddernat te zijn. Ik liet het water op me afkomen en net als het bij mijn voeten kwam, sprong ik. Daarna kwam ik met een plons neer en sprong ik weer. En weer. En weer! EN WEER! JIEHAAAAA!!!

Ik had Javiers visserspet op mijn hoofd, die was leuker dan een hoed en mooier dan een andere pet. Jordi uit mijn klas had zo'n stomme pet met ruitjes. Iedereen was jaloers op mijn visserspet en ik was jaloers op iedereen die de zee hoorde. Toen ik nog klein was, heb ik eens een veeartsenspuit gevonden en er water mee in mijn oren gespoten tot het vreselijk pijn deed. Maar hoe schoon mijn oren ook waren, ik hoorde de zee niet, ook niet de vissers die riepen of de oude Joan als hij schreeuwend zijn kabeljauw stond te verkopen. Van Joan kreeg ik weleens vis mee naar huis. Oude Joan was een goede man, hij kon net als ik met zijn handen praten. Kijk, dit wil zeggen: 'De Stille Zee.'

Soms had ik het gevoel dat ik iets aan het zoeken was en soms dacht ik dat ik het nooit zou vinden. Het gebeurde op dagen dat er geen school was. Ik liep dan maar wat rond in het dorp of ik ging naar de hoge rots. Voortdurend vroeg ik me af waarom ik niet kon horen. Soms keek ik rond en dacht ik na over welk geluid een boom maakt of een rat die wegspringt. Als ik op het strand was, wilde ik het geluid uit de wind halen, net zoals je een ei hebt waarin je met een naald een klein gaatje prikt om er de dooier en het eiwit uit te laten stromen. Ik had het gaatje in de wind willen vinden dat alle geluiden naar de oren brengt. Ik wist van Javier dat het de wind was die de geluiden naar de oren van de mensen waait. Maar de wind was dicht voor mij, misschien zou ik het gat in de wind nooit vinden.

Vroeger, nog voordat ik señora Anna kende, zag ik het anders. Ik dacht dat mijn oren verstopt waren en op een dag aan het strand ben ik twee stokjes gaan zoeken. Ik heb ermee in mijn oren gepeuterd, wel tien minuten lang. Tot bloedens toe.

Toen dacht ik dat het dat bloed geweest moest zijn dat in de weg zat. Ik was blij want ik zou, als al het bloed uit mijn oren was, kunnen horen. Toen ben ik flauwgevallen. De oude Joan zag me liggen en haalde de dokter. Ik moest naar het ziekenhuis in de stad. Daar hebben ze me geopereerd en toen ik wakker werd, voelde ik me misselijk. Mamá stond met Javier aan mijn bed. 'Waarom heb je dat toch gedaan, jongen?' vroeg hij.

'Om te kunnen horen', antwoordde ik. Er was veel verband om mijn hoofd en mijn oren deden pijn. Ik ben twee weken in het ziekenhuis gebleven. Het eten was er niet lekker, maar af en toe bracht Javier chocolade mee. Ik mocht niet meteen uit bed en dat vond ik stom. Ik heb wel een gedicht geschreven over de witte kamer en de dokter met zijn grote neus en over het verband om mijn hoofd. Op het laatst was mijn pen leeg en kreeg ik een potlood van de verpleegster. Met dat potlood schreef ik een gedicht over de zee, die miste ik elke dag: de golven en de hoge rots van waar je bij mooi weer de boten zag varen. Ik kroop dan in bed, kneep mijn ogen dicht en droomde dat ik op het strand liep.

Het gedicht in potlood

Hoger dan de hoge rots zal ik klimmen
om woorden te horen.
gesproken door de wind
gezongen door de zee.

Emilio

Ik streelde het laken met mijn voeten alsof het zand was. Als Vasquez op bezoek kwam, zat hij op het bed. Het was grappig als Javier op het bed zat, dan rolde ik altijd naar hem toe. Het gebeurde weleens dat ik bij hem mocht logeren en ook dan rolden we naar elkaar toe. Het midden van de matras noemde Javier 'de put'. Die put was er vooral omdat het een oude matras was, maar het was er warm, dicht bij hem in de put. Toch had ik nog liever het strand op een zomerdag. Dan ging ik 'kontje branden'. Ik keek goed rond of er niemand was, deed mijn broek een heel klein beetje omlaag en ging met mijn kont even in het hete zand zitten. Daarna rende ik naar de zee en plantte mijn kont in het koele water. Heerlijk!

De laatste dag in het ziekenhuis was niet zo fijn. De dokter kwam en vertelde mamá dat ik naar een kinderpsycholoog moest. Ik wist niet wat het was, een kinderpsycholoog, maar ik wilde er niet naartoe.

Mamá nam me mee naar de stad. Niet dat ik dat wilde, maar het moest, ook van Javier. Hij had me gezegd dat een kinderpsycholoog iemand is die uitzoekt waarom je bepaalde dingen doet. Stokjes in je oren stoppen bijvoorbeeld. Mamá zei dat die mevrouw (het was een mevrouw) vragen ging stellen. Waarom ik kwaad werd en zo. Ik was kwaad op mamá en ik zag aan haar dat ze het merkte. Ze mocht het zien ook, de hele treinreis lang. Ik moest een week bij die mevrouw blijven en daarna zou Javier me komen halen. De dokter in het ziekenhuis had gezegd dat het normaal was dat dove kinderen kwaad worden van al die stilte. Er was wel iets aan te doen en daarom moest ik naar de kinderpsycholoog.

Ze heette señora Anna. Señora Anna was vriendelijk en mooi tegelijk. Ik heb het haar gezegd met mijn handen: 'U bent mooi.' Ze moest erom lachen. Daarna zijn we naar de zolderkamer gegaan. Het was er niet groot, er stonden twee rieten stoelen met van die lange rugleuningen en er waren ook veel planten. Het leek bijna op een serre, alles was groen en rustig. Tegen één muur stonden er geen planten.

Er hing wel een groot bord, zo eentje als in de klas. Naast dat bord zag ik een schildersezel met grote vellen papier. 'Waarom het bord en het papier?' vroeg ik haar. Het was om te tekenen en daar mocht ik meteen mee beginnen. Ik mocht Javier tekenen, maar hij moest er niet op lijken. Ik heb eerst blauw krijt genomen en de zee getekend, daarna met wit de rotsen en het strand, en boven de zee twee rode lippen. Toen vroeg señora Anna mij wat het betekende.

Dat vond ik behoorlijk stom en ook weer niet, want señora Anna kon niet weten dat de lippen die van Javier Vasquez waren.

Zijn lippen die de zee laten ruisen. Zonder de lippen van Javier was de zee stil. Misschien maakte de zee zelfs geen lawaai en was het maar een grap van hem. Misschien bestond 'ruisen' niet eens. Dat klotsen geloofde ik nog wel, dat kon je zien en voelen, maar 'ruisen'? Ik moest mamá tekenen als een dier, ik heb van haar een meeuw gemaakt en van mezelf een kleine meeuw zonder vleugels.

Toen vroeg señora Anna
me om de ouwe te tekenen.

Ik wist niks, dus heb ik hem niet getekend. De volgende dag vroeg ze het me nog eens en toen ik er weer niets
van wilde weten, begon ze er een dag later wéér over.
Ik ben zo kwaad geworden dat ik het grote blad papier
van de schildersezel trok en het in twintig stukken
scheurde. 'Waarom doe je dat?' vroeg ze. Ik heb haar
gezegd dat dát de tekening van mijn vader was: een blad
papier in twintig stukken.
Je kwaad maken helpt af en toe.

Ik vertelde haar over de ouwe, over die keer bijvoorbeeld dat hij me meenam naar de boot van Raventos. Een prachtige boot had hij, die meneer Raventos. Ik keek mijn ogen uit. Alles in prachtig hout en hij was niet eens om mee te vissen, maar gewoon om te gaan varen voor het plezier. Señor Raventos was heel rijk. De ouwe mocht naar de boot komen kijken omdat hij hem had geholpen bij het ontwerpen van de kajuit. De rijke Raventos vroeg hoe ik heette. 'Emilio', zei ik zo goed en zo kwaad als het ging. Mijn vader lachte ineens heel hard en toen Raventos verbaasd zijn ogen opensperde, zei de ouwe: 'Ha ha, praten zit niet in de familie, dat kunt u wel horen, meneer Raventos.' Daar moest die rijke stinkerd nog om lachen ook.

Of die keer dat vader in het hok een kast aan het timmeren was voor Raventos' boot. Ik vroeg of ik kon helpen en de ouwe antwoordde dat het mocht op voorwaarde dat ik het woord 'kast' kon uitspreken. De hele middag heb ik lopen oefenen. Dagen later was het de mop van de week voor hem, hij had zijn kast eerder af dan ik het woord 'kast' kon uitspreken.

Ik wist niet waarom de ouwe die dingen zei en deed. Señora Anna heeft me uitgelegd dat vader waarschijnlijk niet goed wist hoe hij met mij moest omgaan omdat ik doof was. En ze vermoedde dat het wel een schok geweest moest zijn toen hij hoorde dat ik niet kon horen of verstaanbaar spreken. Ik heb haar gevraagd of ik abnormaal was.

Ze heeft mijn wang gestreeld, ze vond me een lieve jongen. Ik heb haar niet tegengesproken.

Señora Anna deed me soms aan mamá denken, alleen was Anna jonger en een klein beetje mooier. Ze had sproeten op haar wangen en lang, rood haar. Toen ik die week bij haar woonde, droomde ik op een nacht dat ik langs de zee liep. Het was donker, maar ineens zag ik in de verte een lichtje. Ik liep ernaartoe en hoe dichter ik bij het lichtje kwam, hoe duidelijker het werd dat het Anna was die op het strand danste. Ze stak haar hand uit en ik danste mee. Hoe meer we dansten, hoe wilder de zee werd. We lachten en lachten en ineens was ze weg. De zee werd kalm als een meer.
Ik voelde me zo rustig.

Javier is me na die week komen halen. We waren stil
onderweg. Ik miste señora Anna, aan wie ik had beloofd
dat ik eind augustus zou terugkomen om te leren praten.
Toen wilde ik dat ze was meegegaan naar mijn dorp,
naar de hoge rotsen en het strand. Om te dansen.

Het was de eerste warme dag van de zomer en ik liep wat te lummelen bij de zee. Een meisje bouwde een zandkasteel en ik ging in het zand zitten, gewoon om te kijken naar haar poging om van dat zand een kasteel te maken. Het leek nergens op. Ik kon het niet helpen, maar ik schokte van het lachen. Ze zag het en ze lachte mee. Dat had ik niet verwacht, want als je lacht om wat mensen aan het doen zijn, worden ze meestal kwaad. Maar Juanita lachte. Pas later heeft ze me verteld hoe ze heette: Juanita Santalo uit Barcelona. Ze logeerde in Vistabella, het hotel een kilometer verderop. Je kon het zien staan vanaf de hoge rots, alleen rijke mensen logeerden daar. Toen Juanita mijn naam vroeg, heb ik die in het zand geschreven. Ze vond het een mooie naam. Ik schreef ook dat ik niet kon horen of praten, maar dat ik wel haar lippen kon lezen. Het werd een mooi zandkasteel. Toen het af was, wilde Juanita iets geks doen en ik vroeg haar of ze wilde 'kontje branden'.

We renden naar de duin, gingen in het hete zand zitten en renden terug naar de zee. Juanita gooide met haar handen het water in de lucht tot ze kletsnat was. Het heeft wel een uur geduurd voordat onze kleren droog waren. We zagen er echt niet uit. Mijn broek en hemd waren bruin geworden van het zand en de jurk van Juanita begon op een oud tentzeil te lijken. Ze vond dat niet erg. 'Jouw kont is witter dan de mijne', zei ze ineens en ze rende weer naar de zee om het water in de lucht te gooien. Juanita lachte de hele tijd. Ik vroeg haar of ze de volgende dag zou terugkomen. Ze schreef in het zand: 'Sí.'

Hoewel de zon mijn hoofd verwarmde, wilde ik dat die dag nooit was gekomen. Toen ik langs de zee liep, zag ik een jongen spelen met Juanita. Het was haar broer Jaime, hij leek niet echt op Juanita. We bouwden een zandkasteel en elke keer als ik iets wilde zeggen, begon Jaime vreemde bewegingen te maken met zijn handen. Ik vroeg waarom hij dat deed. Hij vond het blijkbaar grappig dat ik mijn handen nodig had om te praten. Ik keek naar Juanita in de hoop dat ze het hem zou uitleggen, maar ze haalde haar schouders op en speelde verder in het zand. Jaime begon om het zandkasteel heen te dansen als een gek, wild zwaaiend met zijn armen en handen. Daarna nam hij een stok en schreef in het zand: 'Juanita houdt van doverik.' Ik werd woest, rende naar Jaime en duwde hem met zijn hoofd in het zand. Ik pakte zijn stok en schreef: 'Een doverik bestaat niet, ik ben een dove.' Jaime was geschrokken, dat was duidelijk te zien en ook Juanita keek me vreemd aan. Ik had gehoopt dat ze me zou begrijpen, maar ze begon allerlei woorden te schreeuwen. Haar mond ging wijd open en haar gezicht werd rood. Ze leek bang toen ze haar broer van mij wegtrok. Ze nam hem bij de hand en ze renden naar dat stinkend dure hotel van hen. Ik zag hen lopen op de duin. Af en toe keek Juanita om. De zee was stil voor mij. Maar zo stil als toen was ze nog nooit geweest.

*J*avier zat op een stoel voor de deur. 'Kom erbij zitten, jongen, neem een stoel', zei hij en dat deed ik. Javier zat op zomeravonden altijd met zijn voeten in een teil ijskoud water. 'Goed voor de bloedsomloop', vond hij.

Ik keek graag toe terwijl hij de ijzeren teil met koud water vulde, een stoel pakte en zich traag bukte om zijn broekspijpen op te rollen. Dan plofte hij neer, ging zijn linkervoet het water in en trok hij een zuur gezicht. Wanneer zijn linkervoet aan het koude water gewend was, lachte hij een beetje ondeugend. Daarna volgde de rechtervoet. Javier lachte vaak om wat hij zelf deed. Dat vond ik grappig.

Ik vroeg hem eens wat er met Theresa was gebeurd, zijn vrouw. Hij vertelde me hoe hij haar had leren kennen. Ze was de dochter van een rijke man uit het dorp wat verderop. Die man wilde niet dat zijn dochter ging trouwen met een arme visser en daarom is Theresa van huis weggelopen. Ze ging bij Javier wonen.

Javier was soms weken op zee en toen hij op een keer thuis kwam, was Dona geboren. Sindsdien zwoer Javier nooit meer te varen. Hij wilde niet dat Theresa nog een kind kreeg zonder dat hij bij de geboorte was. Terwijl hij het vertelde, kreeg hij water in zijn ogen. Dat gebeurde wel meer als hij over vroeger sprak. Het mooiste dat ik ooit van hem hoorde, was 'het ochtendverhaal'. Elke ochtend bij het opstaan kusten Javier en Theresa elkaar. Ze deden dat, zei hij, omdat ze blij waren dat ze weer een dag samen konden zijn. Javier heeft veel van haar gehouden en later zou ik ook elke ochtend mijn vrouw kussen, dat wist ik zeker. Nadat Javier gestopt was met vissen, opende hij zijn kruidenierswinkeltje. Je kon er alles kopen: vis, tabak, kaas en drop.

En één keer in de week, op vrijdag, maakte Theresa een grote pan vissoep. Javier zette de soep op een kruiwagen en reed ermee rond in het dorp. Vrijdag was poetsdag en de mensen hadden niet veel tijd om te koken. In een uurtje was de soep uitverkocht. Na de dood van Theresa is Javier in de kruidenierswinkel gebleven.

Javier wist precies waar en wanneer ik geboren was. Ooit had de ouwe gezegd dat hij het moeilijk vond om een dove jongen groot te brengen en daarop had Javier geantwoord dat ik beter dan wie dan ook groot zou worden. Ik ben er trots op dat Javier dat heeft gezegd. Ik zat graag naast hem 's avonds. Hij vertelde dan hoe stil het was en dat je in de verte alleen de zee hoorde. 'Ruisen?' vroeg ik dan. 'Ja,' zei hij, 'ruisen.' En ineens kwam het verhaal van de kleine vis.

Het gebeurde toen Javier een keer met de boot op zee was. De motor van het schip viel uit en Javier had wel tien keer geprobeerd om het ding aan de praat te krijgen, maar het lukte niet. Terwijl hij bezig was, had hij al een paar keer een stemmetje gehoord. Hij ging achter op de boot kijken en kon zijn oren niet geloven, want die stem kwam uit het water. Toen hij over de reling ging hangen, zag hij een vis op het water drijven en die vis praatte! Het was een platvis, hij lag op zijn rug en lachte naar Javier. 'Alles oké daar?' vroeg hij. 'Ja, het zijn zware tijden voor de vissers, dagen op zee in weer en wind. Eigenlijk is het grappig, jullie vissers weten niet dat wij jullie allemaal kennen.

Nu ja, niet allemaal persoonlijk natuurlijk, maar we herkennen jullie boten. Neem nou de oude Joan met zijn blauwe schuit. Mooi bootje overigens, past volledig in de omgeving. Zeker op een mooie zomerdag. Wel wat anders dan die versleten schuit van Maragall. We geven jullie een bijnaam, weet je. De ouwe Joan met al zijn rimpels noemen we de kreukel. Maragall is de grijze garnaal. Daar lijkt hij toch op met zijn kromme rug, op een grijze garnaal. En jij, Javier Vasquez, bent de panharing.

Als je eet, hangt je baard in de pan.' En zo heeft Javier zijn bijnaam gekregen: de panharing. Het is waar van zijn baard in de pan, maar het verhaal van de pratende vis niet. Vissen praten niet, alleen mensen doen dat. Sommige mensen.

*I*k haatte vakanties, wanneer er niemand was. Op een keer ging mamá met Lolo naar de stad en Javier was naar de dokter omdat hij zich niet goed voelde. Ik trok er zelf op uit. Eerst met de fiets tot aan de hoge rots en daarna lopend de heuvel op tot aan het kasteel. Van dat kasteel bleef niet veel meer over, Javier vertelde dat het er zelfs spookte, maar ik dacht dat hij gewoon bang was omdat mensen die horen soms bang zijn van de stilte. Ik had verkeerd gedacht. Voor het eerst zag ik het kasteel van heel dichtbij en het was een halve ruïne. Toen ik er aankwam, leek het niet zo bijzonder, dus ging ik naar binnen. De toren was nog heel en je kon zien waar de keuken was geweest. Wel even wat anders dan mamá's hokje waar ze één keer per week brood bakte. Terwijl ik het dacht, voelde ik iets.

Mensen die niet horen, voelen beter had señora Anna eens gezegd. Ik wist niet of het waar was maar toen, die keer, voelde ik echt iets. Ik keek om en dacht voor het eerst in mijn leven een stem te horen. Ik rende naar de uitgang, maar de stem ging mee.

Ze zei geen woorden, alleen vreemde klanken en er bonkte ook iets. Ik liep terug naar binnen en opeens stond ik op de vervallen toren. Ik keek naar links, naar rechts, ik zag niemand. Het geluid was even weg. Het begon te waaien daarboven. Harder en harder. Alles was grijs en ik werd bang.

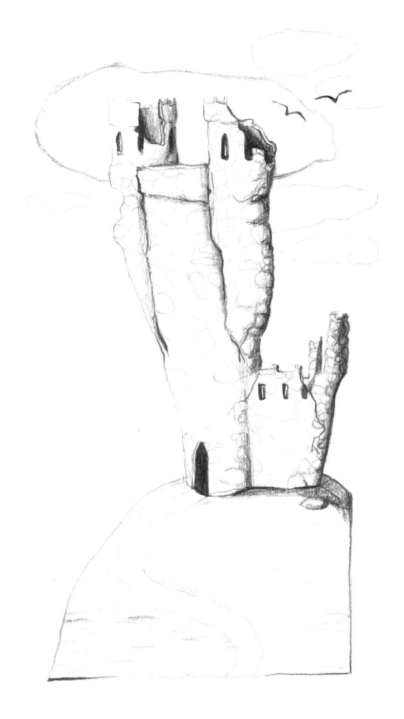

Opeens was de stem er weer, hoge scherpe klanken van een vrouw. En de bonken waren er ook, als grote trommen. Ik wist niet waarom, maar ik moest aan Theresa denken, Theresa die ik nooit had gekend. Wat was er in dit kasteel dat mij aan haar deed denken? Ik ging iets verder, tot aan de rand en weer was er niemand te zien. Maar die stem bleef ik horen. Zou het een lied geweest zijn dat ze zong? Ik had nog nooit een lied gehoord. De grijze lucht klaarde op, hier en daar zag ik al een stukje blauw. De lucht werd lichter en de wind ging liggen. Ik stond daar en zag hoe er nog één wolk overbleef. In die wolk zag ik het gezicht van een vrouw. Was het mamá? Señora Anna? Of Juanita? Het beeld werd duidelijker. Ik zag ze alle drie in de wolk. Mamá, señora Anna en Juanita. Maar terwijl ik naar hen keek, zag ik nog een gezicht van een vrouw die ik niet kende. Was dat Theresa? Moest ik daarom aan haar denken? Ik rende weg, pakte mijn fiets en trapte zo hard als ik kon naar huis. Nu was ik echt bang.

Mamá was thuis, ik rook het aan de geur van worst die uit de keuken kwam. Ik was dat bange gevoel nog steeds niet kwijt. Ik had het nog eens gehad, die keer toen ik de straat in reed en buurman Mendez onverwacht was gestorven. Eerst dacht ik dat het kwam door wat er op het kasteel was gebeurd. Ik ging traag de keuken in, waar Lolo zat te spelen. Mamá was druk bezig, maar toen ze me zag, zei ze dat Javier in het ziekenhuis lag, flauwgevallen na het bezoek aan de dokter. 'Toch niet gek,' zei ik, 'Javier is bang voor dokters.' Het was een beroerte. Zo noemde ze dat: een beroerte. Ik had me ook weleens beroerd gevoeld, maar 'een beroerte' leek erger, dat zag ik aan mamá's gezicht. Het was ook erger. Veel meer had mamá me niet verteld, maar je kon zien dat ze ongerust was en dat het ergste nog moest komen. We hebben niet veel gegeten. Mamá en ik zijn naar het ziekenhuis gegaan, Lolo mocht naar tante Mira.

Het was een bruine deur in een witte gang, kamer zes-
enzeventig. Bij het binnenkomen zag ik het witte bed.
Ernaast stond een klein tafeltje met een vreemde beker
erop, zo'n doorschijnend ding met een drinktuit eraan.
Aan de zijkant van het bed hing een plastic zak. Ik zag
een hoofd op het kussen liggen, het hoofd van een
mannetje dat ik bijna niet herkende. Dat mannetje was
Javier. Zo wit. Grauw. Lelijk. Niets meer van die lachen-
de snoet en rode wangen. Zelfs zijn baard hing nu in
vieze slierten onder zijn kin. Hij deed zijn ogen open en
wees met een kromme vinger naar mamá. Ze moest
dichterbij komen. Hij fluisterde een paar woorden en
daarna keek hij naar mij en lachte.

Javier lachte. Duizenden keren had hij gelachen en nu
lachte hij weer, maar niet zoals anders. Hij knipperde
met beide ogen, net of hij wilde zeggen dat hij blij was
dat ik er was. Ik zat naast hem op het bed en hij pakte
mijn hand. Daarna pakte hij de hand van mamá en hij
kneep. Eerst in de mijne, toen in die van mamá.
Mamá moest huilen en ik ook.

'Niet huilen,' zei hij, 'ik ben blij dat jullie er zijn.' Hij zweeg even. 'Mijn twee beste handen', fluisterde hij en toen sliep hij in. Javier is nooit meer wakker geworden. De volgende dag is mamá naar het ziekenhuis geroepen. Javier Vasquez was dood.

Het deed me niet veel. Ik vermoed dat ik nog niet door-
had dat hij er niet meer voor mij zou zijn. Javier leefde
nog. Javier lachte. Javier zette zijn voeten in een teil
koud water. Javier vertelde over Theresa. Over spoken.
Over de kleine pratende vis. Javier leefde.

Een week later is hij begraven, mijn beste vriend.
Er waren veel mensen in de kerk, iedereen kende hem.
Ik zat op de eerste rij. Na afloop gingen we naar het
kerkhof en mocht ik een rode roos op de kist leggen.
Er waren niet genoeg rozen. Ik vond het niet leuk dat
die meneer met zijn zwarte pet en lange, grijze jas er een
paar van de kist pakte zodat ook andere mensen er nog
een roos op konden leggen. Hij had mijn bloem gepikt.
Ik rende naar de man en haalde mijn roos uit het
mandje. De man schrok. Ik legde mijn bloem terug op
de kist en mamá huilde. Ik niet. Javier was dood, maar
binnen in mij leefde hij. Hij deed wat hij elke dag had
gedaan, hij praatte en hij lachte. Hij kon zo mooi lachen.

Het was de laatste week van augustus en zoals beloofd ging ik naar señora Anna toe. Mamá bracht me naar de stad, maar deze keer zou het niet Javier zijn die me na een week kwam halen. Er was weinig om naar uit te kijken. Ik wilde het liefst voor altijd bij Anna blijven. Tenminste, als zij dat zou willen, want vóór de zomer vond señora Anna het leuk dat ik er was. Nu was alles misschien veranderd. Toen de deur van haar huis openging, was ze nog steeds mooi. Ze lachte. Mamá bleef nog even voor thee met koekjes en daarna vertrok ze. Ik zag een traan in haar ogen. Ze voelde zich ook alleen nu Javier er niet meer was.

We waren allebei verdrietig en toch konden we elkaar niet helpen, dat is zo als er iemand sterft. Señora Anna ging me voor naar de zolderkamer. Er was nog niets veranderd, het was er even gezellig en het rook er nog even zoet. Ze vroeg me of ik wilde leren spreken. Ik zei dat ik al kon spreken, met mijn handen. En al hoorde ik niet, ik zag aan hun lippen wat mensen zegden.

Anna wilde weten wat ik voelde wanneer ik een klank uitbracht. Ze wist net zo goed als ik dat ik trillingen kon voelen, maar wat zij 'een keelklank' noemde, had ik nog niet zo vaak gevoeld. Eén keer op de hoge rots had ik geprobeerd om te roepen naar de vogels, maar het was geen fijn gevoel. Net of mijn keel dichtgeknepen werd.

Señora Anna stelde me iets voor. Zij zou woorden zeggen en ik moest met mijn handen voelen aan haar gezicht, haar hals, haar borst, haar buik. Ik keek alleen maar naar haar, ik kon niets doen. Het ging gewoon niet. Alles had ik al gevoeld met mijn handen: hoe een trommel klonk, of een gitaar, of het kloppen met Javiers hamer op de werktafel. Maar nog nooit had ik Anna gevoeld. Toen zei ik dat het niet ging. Ik kon niet, durfde niet, niet señora Anna. Ze werd niet boos.

Ze pakte mijn handen en legde die op haar wangen. Ik mocht mijn ogen dichtdoen en voelde iets tintelen. Ze had nog niets gezegd, maar het voelde zo goed.

Ze was zacht als... als de blik van Javier net voor het slapengaan, als een krat perziken of abrikozen, als de babybuik van Lolo. Zo zacht. Daarna legde ze mijn handen in haar hals. Haar schouders en borst gingen traag op en neer. Ze zei letters die ze lang aanhield. Aaaaaaaa. Oooooooo. Ik had met mijn handen gevoeld wat ze had gezegd, maar nog meer had ik háár gevoeld. Ze vroeg of ik met mijn handen op mijn wangen die klanken wilde nazeggen. Ik wilde niet praten. Hoe zou ik het ooit durven proberen? Javier was de enige geweest bij wie ik een paar klanken had uitgebracht, hij was de enige die mij had begrepen zonder die stomme dingen die mensen zinnen noemen. Nooit zou ik Javier verraden. Nooit. De volgende dag vroeg Anna me wat ik had gevoeld en gedacht bij de begrafenis. Ik was kwaad geweest en dat was ik nog steeds. Kwaad omdat mijn beste vriend niet meer bij me wilde zijn. Hij ging ergens naartoe en ik bleef waar ik was. Elke dag was hij er geweest, en nu?

Als ik aan Javier dacht, werd ik af en toe ook misselijk, net of ze mijn buik leegzogen. Anna vroeg me om met mijn lichaam te laten zien wat Javier voor mij had betekend. Ik ging staan, mijn armen om me heen, ogen dicht, en legde mijn hoofd op mijn rechterschouder. Toen ik mijn ogen opendeed, zag ik water in die van Anna. Ze vroeg me wat Javier nu tegen me zou zeggen. Ze wist, hoewel Javier dood was, dat hij nog met me praatte. Ik dacht aan Javier en zei: 'Aaa. Ooo.'
Javier Vasquez wilde dat ik sprak.

*D*e zomer van toen is allang voorbij. Vanaf toen leerde ik stap voor stap spreken. Drie jaar later is mamá even onverwacht als Javier gestorven en zijn Lolo en ik bij señora Anna gaan wonen in de stad. Ik ben al die tijd nooit meer in het dorp geweest waar ik ben opgegroeid, waar ik uren met Javier op de stoep zat. Ik kon het niet meer, maar Vasquez en mamá bleven in mijn hoofd wel met me praten. Tenminste, zo voelde ik het. Wanneer ik blij was, lachten ze met me mee of ze fluisterden wat ik moest doen als het even niet ging. Mamá was bij Javier, mamá is daarboven nog altijd bij hem.

Ze was een goede vrouw, net zoals señora Anna, die voor ons bleef zorgen. Ieder jaar in de zomer vroeg ze of ik het dorp wilde bezoeken waar ik als kleine jongen woonde. Maar ik heb het nooit gedaan. Tot vandaag.

Ik kijk naar de lucht en fantaseer het gezicht van mamá in een wolk. Even verderop spelen kinderen. Ze bouwen een zandkasteel. Ik kijk om en zwaai naar señora Anna. Ze wacht geduldig op me, daarginds op de dijk.

Ik roep 'dat de zee blauw is als de lucht dat is'. En 'dat ze grijs is als de wolken dat zijn'. Ik loop op señora Anna af en kijk nog een keer achterom naar de zee. Miljoenen liters water gooien zich in golven op het strand. En uit die miljoenen springt één waterdruppel op, één waterdruppel. Ik kan hem niet vangen, niet in m'n hand houden. Hij is daar, die ene waterdruppel. Voor een paar seconden maar. Kijk, ik zie hem al niet meer. Hij verdwijnt in kolkende golven.

Het water trekt zich terug en alles lijkt stil te worden. Líjkt. Na veel lawaai lijkt minder lawaai op stilte. Maar de zee zwijgt nooit: ze ruist als duizend waterdruppels dansen met de wind.

'Señora Anna?'
'Emilio, wat is er?'
'Mag ik met u dansen op het strand?'
'Er is niet eens muziek.'
'Toch wel, señora. Luister naar de zee. Ze ruist.'

www.lannoo.com/ kindenjeugd
©Uitgeverij Lannoo nv, Tielt, 2004
Grafische vormgeving: Studio Lannoo
Illustraties: Sabien Clement
Voor meer informatie over het thema:
Fevlado-Diversus | Federatie van Vlaamse dovenverenigingen vzw
+32 9 228 59 79 | Fevladodiversus@pandora.be
D/2004/ 45/ 121 - ISBN 90 209 5576 4 – NUR 283, 284

Jeroen Van Haele werkt als producer-presentator bij VRT-radio. Hij scherpte zijn pen met enkele musicals en liedjesteksten. Met De stille Zee maakt hij een opmerkelijk debuut als jeugdauteur.

Sabien Clement is een jonge illustratrice, die zowel in binnen- als buitenland hoge ogen gooit. De prachtige illustraties zijn van haar hand.